Hannelore Hau

DIE WOMBATS

Eine australische Tierfamilie auf Reisen

Hannelore Hau

DIE WOMBATS

Eine australische Tierfamilie
auf Reisen

edition fischer
im
R. G. Fischer Verlag

CIP-Titelaufnahme der Deutschen Bibliothek

Hau, Hannelore:
Die Wombats : eine australische Tierfamilie auf Reisen / Hannelore Hau. – Frankfurt (Main) : R. G. Fischer, 1990
(Edition Fischer)
ISBN 3-89406-188-X

Wilhelmshöher Straße 39, D-6000 Frankfurt 60

Satz: Satz-Service Meyer, München
Zeichnungen: Eva-Maria Schmitt, Vanessa Eichhorn
Herstellung: Ernst Grässer, Karlsruhe
Printed in Germany
ISBN 3-89406-188-X

Grüße
an
Australien

„Was haben wir in diesem August wieder einen schönen dicken Winterpelz", sagte Mutter Wombat zu ihrer Familie, als sie alle gemütlich in ihrer Höhle saßen und ihr Abendbrot, bestehend aus Wurzeln und Blättern, verzehrten.

Ihr habt richtig gehört von wegen August und Winterpelz, denn die Wombats leben in Australien, und da ist ja bekanntlich Winter, wenn wir in Europa Sommer haben.

Der Wombat ist ein Beuteltier und kommt nur in Australien vor. Er hat sehr kurze Beinchen, mit denen er aber sehr schnell laufen kann. Er baut sich in der Erde ein ausgedehntes Höhlensystem. Seine Augen und Ohren sind nur klein ausgebildet, und er ist ein gutmütiges Tier.

Die Familie Wombat, von der ich euch nun eine Geschichte erzählen will, lebte rund 200 Kilometer von Melbourne entfernt im Wilson Promontory National Park. Dies ist ein wunderschönes grosses Naturschutzgebiet, in dem viele nur in Australien vorkommende Tiere leben.

In diesem Park sassen nun Mutter und Vater Wombat mit ihren beiden Söhnen Wombi und Lombi beim Abendessen. Draussen vor der Höhle fegte ein ungemütlicher kalter Wind, aber hier drinnen war es schön kuschelig. Vater Wombat nickte zu den Worten seiner Frau und bekam dann ganz traurige Augen.

„Ach", sagte er, „es müsste doch schön sein, das Weihnachtsfest einmal in einem richtigen Winter feiern zu können. Bei uns ist es dann immer so heiss, und man geht lieber ins Wasser und kühlt sich ab, als an das Weihnachtsfest zu denken. Ich möchte es zu gern einmal im richtigen Schnee erleben." (Im Dezember ist ja in Australien Sommer!)

„Wir auch, wir auch", schrien Wombi und Lombi. „Und was könnte man da so schön rutschen und einen

Schneemann bauen und, und …" „Seid ihr sofort ruhig", schalt Mutter Wombat. „Man versteht ja sein eigenes Wort nicht mehr!" Und zu ihrem Mann gewandt meinte sie: „Ich möchte bloss wissen, wer dir diesen Gedanken ins Ohr geflüstert hat."

Vater Wombat sagte: „Vor ein paar Wochen suchte ich Wurzeln und Blätter. Es war schon gegen Abend. Da hörte ich auf dem nahen Weg zwei Menschen daherkommen. Sie sprachen davon, dass jetzt in Deutschland Sommer sei, und dass der Winter hier in Australien nie so ein richtiger Winter wie in Deutschland zur Weihnachtszeit sei, und wie schön es doch zu Weihnachten in ihrer Heimat wäre. Sie sprachen so schön davon, dass ich fast vergass, das Abendessen für uns alle zu sammeln. Und seit dieser Zeit denke ich an die Worte der Menschen, und ich wünsche mir, mit euch eine Reise übers Meer nach Europa zu machen."

„Gütiger Himmel", sagte Mutter Wombat, „bist du verrückt geworden? Wie stellst du dir das denn vor? Nein, ich bleibe zu Hause!"

Wombi und Lombi aber schauten bereits mit leuchtenden Augen ihren Vater an. „Seht mal", sagte dieser, „wenn wir das wirklich wollen, wird es uns auch gelingen. Ich habe schon einen Plan. Zudem haben wir ja gerade unseren dichten Winterpelz, und den können wir uns erhalten, wenn wir bald aufbrechen und die Reise in den Winter auf der anderen Seite der Erdkugel machen. Da brauchen wir unser dickes Fell, das wir gerade so schön haben."

Danach redeten alle Wombats aufgeregt durcheinander, und keiner konnte mehr ein Wort verstehen. Mutter Wombat rang dauernd ihre kurzen Vorderbeinchen und seufzte laut und kläglich vor sich hin.

„JETZT WIRD ERST EINMAL GESCHLAFEN, UND MORGEN SEHEN WIR WEITER", RIEF DANN LAUT DER VATER.

DIE WOMBATS LEGTEN SICH ZUR RUHE, ABER SO RICHTIG SCHLAFEN KONNTE KEINER, DENN SIE WAREN SEHR AUFGEREGT.

AM NÄCHSTEN MORGEN SETZTE SICH DIE FAMILIE IN IHRER HÖHLE ZUSAMMEN, UND VATER WOMBAT ERKLÄRTE DEN SEINEN DEN REISEPLAN, UND WIE ER SICH ALLES DACHTE. WOMBI UND LOMBI WAREN BEGEISTERT VON DEM TOLLEN ABENTEUER, DAS SIE ERLEBEN SOLLTEN, UND MUTTER WOMBAT SAGTE MIT EINEM TIEFEN SEUFZER: „WENN ES DANN SO SEIN SOLL. ES WIRD HOFFENTLICH GUT GEHEN." EIN BISSCHEN ABER FREUTE SIE SICH AUCH.

AM ABEND, NACHDEM SIE IHRE HÖHLE AUFGERÄUMT UND VERSCHLOSSEN HATTEN, VERABSCHIEDETEN SIE SICH VON IHREN NACHBARN, DIE VOR STAUNEN DEN MUND NICHT MEHR ZU BEKAMEN. DIE KINDER DER ANDEREN WOMBAT-FAMILIEN GERIETEN EH' GANZ AUS DEM HÄUSCHEN, ALS SIE HÖRten, wohin Wombi und Lombi mit ihren Eltern fahren wollten.

Unsere Wombat-Familie machte sich nun auf den Weg. Nach Vaters Reiseplan musste man ein gutes Stück durch den Busch laufen. Das fiel den Wombats nicht schwer, denn sie sind ja sehr flink und gut zu Fuss. Ihr erstes Ziel war der grosse Highway, auf deutsch die Autobahn, der direkt nach Melbourne führt. Unterwegs machten sie ab und zu eine Pause, um Wurzeln und Blätter zu fressen und auch welche als Reiseproviant zu sammeln. Nach drei Tagen Fussmarsch hörten sie in der Ferne ab und zu ein Rauschen und Hupen. „Das sind die Autos und Lastwagen, die in die grosse Stadt fahren", sagte Mutter Wombat. Als sie am Rande der Autobahn angekommen waren, meinte Vater Wombat: „Jetzt setzen wir uns hier unter den Busch, essen noch einmal kräftig, und jeder bekommt seinen Proviant an Wurzeln und Blättern zugeteilt.

DABEI ERKLÄRE ICH EUCH NOCH EINMAL DEN NÄCHSTEN ABSCHNITT UNSERER GROSSEN REISE."

EIN BISSCHEN MÜDE VOM VIELEN LAUFEN SASSEN SIE JETZT ALLE DA, UND AUCH EIN WENIG ÄNGSTLICH SCHAUTEN SIE AUF DIE GROSSE AUTOSTRASSE. MUTTER WOMBAT VERTEILTE DAS ESSEN UND BLICKTE DANN MIT IHREN KLEINEN ÄUGLEIN ZUM HIMMEL AUF, DER VOLL MIT WUNDERSCHÖNEN STERNEN WAR. BESONDERS DAS KREUZ DES

SÜDENS KONNTE MAN GUT SEHEN. MUTTER WOMBATS HERZ WAR EIN WENIG SCHWER. SIE HATTE HALT DIE MEISTE ANGST.

„SO", SAGTE DER VATER, „JETZT GUT AUFGEPASST! HIER ROLLEN DIE GROSSEN LASTER MIT SCHAFWOLLE VORBEI, DIE BIS MELBOURNE ZUM ÜBERSEEHAFEN FAHREN. IHR WISST, DASS ES IN AUSTRALIEN VIELE SCHAFE GIBT. ZWEIMAL IM JAHR WERDEN SIE GESCHOREN UND DIE WOLLE NACH ÜBERSEE VERKAUFT. WIR VERSUCHEN JETZT, UNS AN EINEN SOLCHEN LASTWAGEN HERANZUMACHEN UND HINEINZUKOMMEN. HIER AN DIESER STELLE FAHREN DIE AUTOS ETWAS LANGSAMER. WIR MÜSSEN NUR SCHNELL SEIN UND ZUSAMMENBLEIBEN. ICH ZÄHLE BIS DREI, UND DANN RENNEN WIR ALLE LOS."

„O.K.", SAGTEN WOMBI UND LOMBI.
„NA JA", STÖHNTE MUTTER WOMBAT.

ENG BEISAMMEN SASSEN SIE AM RANDE DER AUTOBAHN UND BEOBACHTETEN AUFMERKSAM DIE VORBEIFAHRENDEN AUTOS, DIE AN DIESER KURVIGEN STELLE DAS TEMPO VERLANGSAMTEN. DA NÄHERTE

SICH EIN GROSSER LASTER MIT ANHÄNGER. VATER WOMBAT RIEF: „EINS, ZWEI, ... HALT, HALT!" IN LETZTER SEKUNDE HATTE ER ENTDECKT, DASS DER LASTWAGEN KEINE SCHAFWOLLE, SONDERN LEBENDE SCHAFE GELADEN HATTE. DAS WÄRE JA ETWAS GEWORDEN, DIE WOMBATS ZWISCHEN DEN SCHAFEN.

ES DAUERTE NOCH EINE KNAPPE STUNDE, BIS WIEDER SO EIN GROSSER LASTWAGEN MIT ANHÄNGER IN SICHT KAM. UND DER HATTE ENDLICH DIE RICHTIGE LADUNG FÜR DIE WOMBATS, NÄMLICH SCHAFWOLLE IN GROSSEN BALLEN.

„EINS, ZWEI, DREI", SCHRIE DER VATER, UND ALLE RANNTEN LOS. ALS DER LASTER SEIN TEMPO VERRINGERTE, KLAMMERTEN SICH DIE WOMBATS BEREITS AN DEN ANHÄNGER UND ZOGEN SICH AUF DIE LADEFLÄCHE, WOBEI VATER WOMBAT DER MUTTER ETWAS HELFEN MUSSTE. WOMBI UND LOMBI WAREN GANZ FLINK ALLEIN HOCHGEKOMMEN.

ALS DAS GESCHAFFT WAR, GUCKTEN SIE SICH ERST EINMAL UM. SIE SASSEN WEICH zwischen grossen Ballen Schafwolle. Einer war besonders gross und lag etwas abseits. „In diesen wühlen wir uns hinein", sagten die Eltern zu Wombi und Lombi.

Und das taten sie dann auch, ganz vorsichtig, damit der Ballen nicht auseinanderfiel, und man ihm von aussen auch nicht ansehen konnte, dass Familie Wombat sich darin versteckte.

Sie lagen eng beieinander, und es war kuschelig warm in der Wolle, und es roch nach Schafen. Aber das störte sie wenig, denn jetzt ging die Reise ja richtig los. Jeder hatte ein kleines Guckloch gemacht, und nun bestaunten sie die Welt, durch die sie gefahren wurden.

„Schaut doch mal, die Autos werden immer mehr, ebenso die Häuser."

„Ich glaube, wir sind schon in der Nähe der grossen Stadt Melbourne", sagte Vater Wombat. Und so war es auch. Sie fuhren an riesigen Häusern vorbei, sahen den grossen Bahnhof, überquerten den Yarra, so heisst der Fluss, der durch Melbourne fliesst, und dann bog der Laster zum Hafen ab. Dort sahen die Wombats die vielen kleinen und grossen Schiffe liegen; Schiffe, mit denen Passagiere fahren, Fährschiffe, Frachtschiffe und die grossen Überseefrachter, die in ihrem Bauch viele Güter aufnehmen können und diese dann in alle Welt bringen.

Und genau vor so einem Riesenfrachtschiff hielt der Lkw mit den Wollballen und den Wombats. Das war ein Lärm im Hafen! Von überall hörte man Kommandos, die sich die Arbeiter und Matrosen zuriefen. Es tutete, hupte, schrie, und dazwischen hörte man das Kreischen der Möwen und das Gebrumme der grossen Lastkräne, die die Schiffe beluden.

Da wurde es der Familie Wombat das erste Mal ängstlich ums Herz, das heisst eigentlich nur den Eltern, denn Wombi und Lombi fanden das alles ganz super und toll.

Sie standen mit ihrem Lkw eine kleine Weile vor dem Schiff, als sie plötzlich fühlten, wie ihr Wollballen sich bewegte und hochgehoben wurde. Ein grosser Ladekran hielt ihn umklammert und schwenkte ihn durch die Luft. „Ach, wird mir plötzlich schlecht", sagte Mutter Wombat, „und schwindelig noch dazu."

„Halte nur aus, meine Gute, das ist gleich vorüber", sagte Vater Wombat. „Wir werden gerade auf das Schiff gebracht. Ich habe den Namen lesen können, es heisst Hamburg, und dorthin wird es auch fahren. Es hat alles seine Richtigkeit."

Wombi und Lombi juchzten laut. Sie fanden die kurze Reise durch die Luft in den Schiffsbauch höchst interessant.

Und ganz kurze Zeit später lag der Ballen wieder ruhig da und viele andere daneben. Leise und vorsichtig lugten die Wombats umher. Sie waren tatsächlich im grossen Laderaum des Schiffes. Hoch oben konnten sie noch ein Stückchen Himmel sehen, dann wurden die Schiffsluken geschlossen, und es wurde dunkel und still. Verdutzt schauten Wombi und Lombi ihre Eltern an; denn Wombats können auch im Dunkeln sehen. „So, jetzt können wir es uns gemütlich machen und etwas von unseren mitgebrachten

Wurzeln und Blättern essen. Dann legen wir uns schlafen für eine lange Zeit", sagte Vater Wombat.

Sie assen alle noch ein wenig, dann machte sich jeder ein kuscheliges Bett in der Schafwolle und legte sich gemütlich zurecht.

Gerade, als sie sich Gute Nacht sagen wollten, erschütterte ein Dröhnen und Brummen das Schiff. „Was ist das?" riefen die Kinder. „Keine Angst", sagte Mutter Wombat, „das sind die Motoren des Schiffes. Jetzt geht unsere Seereise ans andere Ende der Welt erst richtig los."

Die Wombatkinder legten sich wieder in ihr Wollbett, und als das Schiff den Hafen von Melbourne verlassen hatte, brummten die Motoren nur noch leise vor sich hin, und die Wellen des Pazifik wiegten die ganze Familie Wombat nach diesen aufregenden Reisetagen in den Schlaf.

EIN SCHIFF, DAS VON AUSTRALIEN NACH EUROPA FÄHRT, HAT EINE LANGE, LANGE REISE VOR SICH. ZUERST FUHR DAS SCHIFF, MIT DEM DIE FAMILIE WOMBAT REISTE, VON MELBOURNE AUS DURCH DEN INDISCHEN OZEAN, DANN EIN STÜCK DURCH DEN ATLANTISCHEN OZEAN UND NAHM KURS AUF BRASILIEN. IN RIO DE JANEIRO GING ES VOR ANKER UND NAHM NOCH EINMAL FRACHT AUF.

HIER WURDEN DIE WOMBATS WACH, WEIL SIE NICHT MEHR GESCHAUKELT WURDEN. „WAS IST LOS?" FRAGTEN DIE KINDER „SIND WIR SCHON DA? IST DAS

Hamburg?" „Nein, nein, wir sind in einem Hafen. Das dauert noch lange", sagte der Vater.

„Ich glaube, wir sollten jetzt unseren letzten Vorrat verspeisen und uns dann wieder schlafen legen. Wir müssen unsere Kräfte schonen", riet Mutter Wombat ihrer Familie. Und dann assen sie die letzten Blätter und Wurzeln, die sie aus ihrer Heimat Australien mitgenommen hatten.

„Ich könnte aber noch viel mehr essen", seufzte Lombi vor sich hin. „Legt euch jetzt wieder schlafen", sagte Vater Wombat. „Wir schaffen das alles schon."

Und so krochen sie wieder in die Wolle, und als das Schiff wieder auf die Reise ging, schliefen sie schon tief und fest.

Das Schiff nahm Kurs auf die Kanarischen Inseln. Auf dem Weg dahin geriet es in einen Sturm. Wellen so gross wie Stadthäuser schlugen über

DAS SCHIFF, UND ES WURDE HINAUF UND HINUNTER GEWORFEN.

VON DEM KRÄFTIGEN SCHAUKELN WURDE UNSERE FAMILIE WOMBAT WACH. „ACH DU LIEBE ZEIT", SAGTE DER VATER, „WAS IST DENN HIER LOS? HOFFENTLICH GEHEN WIR NICHT UNTER."

ABER DANN HATTEN DIE ELTERN KEINE ZEIT MEHR, DARÜBER NACHZUDENKEN, DENN WOMBI UND LOMBI WURDEN SEE-KRANK. DIE ELTERN HATTEN ALLE HÄNDE VOLL ZU TUN, UM IHRE KINDER ZU TRÖSTEN UND IHNEN DEN KOPF ZU HALTEN, DENN DEN BEIDEN WAR ES GANZ FURCHTBAR SCHLECHT.

ABER JEDER STURM GEHT EINMAL VORÜBER, UND DAS MEER WURDE WIEDER RUHIG. ES DAUERTE NICHT LANGE, DA GING ES WOMBI UND LOMBI WIEDER BESSER, UND SIE SCHLIEFEN VOR ERSCHÖPFUNG RASCH WIEDER EIN. AUCH DIE ELTERN LEGTEN SICH WIEDER ZUR RUHE.

DAS SCHIFF WAR NUN ETLICHE WOCHEN UNTERWEGS UND HATTE DIE PORTUGIESISCHE KÜSTE UND DAMIT EUROPA ERreicht, aber bis Hamburg war es immer noch ein ganzes Stück. Endlich wurde der Kanal passiert, das ist das Meer zwischen Frankreich und England, dann noch ein Stück durch die Nordsee, und endlich kam der Zielhafen Hamburg in Sicht.

Als die „Hamburg" in Hamburg anlegte, waren die Wombats hellwach. „Jetzt wird es interessant, jetzt müssen wir wieder gut aufpassen", sagte Vater Wombat. Er hatte richtiges Herzklopfen, denn nun waren er und seine Lieben in Deutschland. „Kriecht wieder tief in den Wollballen hinein, es kann nicht mehr lange dauern bis ausgeladen wird."

Endlich wurden die Luken geöffnet. Im Hamburger Hafen war genau so ein Lärm, wie sie ihn von Melbourne her kannten. Ein grosser Kran hob sie mitsamt ihrem Wollballen aus dem Schiff heraus und schwenkte sie hoch durch die Luft zu anderen Ballen auf einen Lkw. Das alles kannten sie nun schon und hatten keine Angst mehr. Aber der Hunger quälte sie jetzt fürchterlich.

„Ich glaube, wir haben ganz schön abgenommen", meinte Mutter Wombat. „Es wird nicht mehr lange dauern, dann können wir uns wieder etwas zu essen suchen", sagte der Vater. Aber da täuschte er sich, es sollten noch einige Tage bis dahin vergehen.

Auch Wombi und Lombi quengelten nach Essen, und nur weil es so viel zu sehen gab, wurden sie von ihrem Hunger abgelenkt.

Der Lkw stand noch den ganzen Tag im Hafen, bis er endlich losfuhr. Die Wombats schauten wieder vorsichtig aus ihrem Wollballen, um auch alles genau sehen zu können.

Aus Hamburg ging es hinaus auf die Autobahn. Es war kalt, denn in Europa war es jetzt Winter. „Gut, dass wir unseren Winterpelz noch haben", meinte Vater Wombat.

„Aber schau nur, wie er an mir herumschlackert, als würde er nicht zu mir gehören, so sehr habe ich abgenommen", sagte die Mutter.

Auf einem Rastplatz in der Nähe von Hannover hielt der Lkw. Der Fahrer stieg aus, um eine Tasse Kaffee zu trinken. Lombi wollte unbedingt auch aussteigen, um Blätter zu sammeln, aber die Eltern hielten ihn fest. „Das ist viel zu gefährlich, womöglich fährt der Lkw ohne dich weiter", sagte der Vater. Und kurz darauf kam der Fahrer zurück, und die Reise ging weiter.

An Hannover und Göttingen vorbei ging es nun in Richtung Kassel. Die Wombats schauten neugierig auf alles, was sie sahen, aber Hunger und Durst machten ihnen immer mehr zu schaffen.

„Was fällt denn da vom Himmel?" fragte Wombi. „Das ist Schnee. Der fällt in Europa, wenn es Winter ist", erklärte der Vater.

Gehört hatten die Wombat-Kinder ja schon, dass man Schneebälle davon machen kann und einen Schneemann. Nun sahen sie den Schnee wirklich. Sie streckten ihre Pfötchen nach draussen und fingen ein paar Flocken auf. Sie leckten daran und merkten, dass die Flocken gut für ihren Durst waren. Nur mit Mühe konnten die Eltern ihre wie losgelassenen Kinder festhalten, bald wären sie vom Lkw gefallen. Der Vater wurde zum ersten Mal auf dieser Reise so richtig böse, denn die ganze Sache war ja recht gefährlich.

Mittlerweile schneite es in dichten Flocken, und die Erde ringsum wurde weiss. Nur undeutlich konnte man die Schilder erkennen, als der Lkw an der Abfahrt Kassel von der Autobahn abbog. Durch Kassel hindurch und durch Wälder und Dörfer ging die Fahrt bis vor ein Fabrikgebäude, das in der Nähe eines Dorfes am Waldrand lag.

Die Fabrik war eine Spinnerei, in der die Schafwolle zu Strickwolle und Garnen gesponnen wurde.

Sie fuhren durch ein grosses Tor, und ein Pförtner sass dort am Eingang. Mittlerweile war es dämmerig geworden, und der Schnee fiel immer noch dicht auf die Erde nieder. „Nun heisst es aufpassen", sagte der Wombat-Vater. „Wir müssen von dem Lastwagen herunter sein, bevor die Wollballen abgeladen werden. Ich sage wieder eins, zwei, drei, und dann springen wir vom Auto und laufen so schnell wir können zum Tor hinaus in den Wald."

Die Wombats krochen aus dem Wollballen, der Vater schaute sich um, sagte dann eins, zwei, drei, und die vier Wombats sprangen vom Lkw, kugelten erst mal im Schnee und rannten dann so schnell sie konnten auf das Werkstor zu. Weil sie aber auf der langen Reise nur wenig gegessen hatten, schlotterte ihr Winterpelz an ihnen herum und behinderte sie sogar beim Laufen.

Als sie nun in voller Eile – und aufgeregt waren sie auch – das Werkstor erreichten, sprang plötzlich der Pförtner aus seinem Häuschen und schrie: „Hilfe, Hilfe, da laufen vier Schweine im Pelz durch das Tor! Haltet sie, haltet sie!!"

Erst waren die Wombats sehr erschrocken, dann wollten Wombi und Lombi voller Empörung, dass man sie Schweine nannte, stehenbleiben und dem Pförtner erzählen, wer sie wirk-

LICH WAREN. DER VATER ABER BEFAHL GANZ BESTIMMEND: „LAUFT SOFORT WEITER RÜBER IN DEN NAHEN WALD, DA VERKRIECHEN WIR UNS ERST EINMAL!"

UND SIE RANNTEN UND RANNTEN, BIS SIE IM DICHTEN WALD IN SICHERHEIT WAREN. UNTER EINEM BAUM SETZTEN SIE SICH UND VERSCHNAUFTEN ERST EINMAL.

DER PFÖRTNER AM TOR ABER KONNTE SICH GAR NICHT BERUHIGEN. ER ERZÄHLTE JEDEM VON DEN PELZIGEN SCHWEINEN, DIE ER GESEHEN HÄTTE, ABER NIEMAND GLAUBTE IHM SO RECHT.

UNSERE WOMBAT-FAMILIE ABER WAR GANZ GLÜCKLICH, DASS SIE JETZT IN EINEM WALD WAR, IN DEM ES BLÄTTER VOM LETZTEN HERBST UND VIELE KÖSTLICHE WURZELN GAB. SIE KRATZTEN DEN SCHNEE ZUR SEITE UND WÜHLTEN SICH EINE KLEINE HÖHLE ZURECHT. DANN WURDE ERST EINMAL AUSGIEBIG UND VIEL GEGESSEN. ZUFRIEDEN UND GLÜCKLICH KUSCHELTEN SIE SICH ANEINANDER UND SCHLIEFEN EIN. LEISE FIEL DER SCHNEE UND DECKTE AUCH DIE KLEINE WOMBAT-HÖHLE ZU, IN DER unsere Wombat-Familie ihre erste ruhige Nacht in Deutschland verbrachte. Der Wald, in dem sie in ihrer Höhle schliefen, gehörte zum Knüll-Gebirge.

Am nächsten Morgen sahen sich die Wombats ganz vorsichtig in ihrer Umgebung um. Wombi und Lombi purzelten im Schnee herum und spielten. „So schön haben wir es uns gar nicht vorstellen können", jubelte Wombi, und Lombi nickte dazu und sagte: „Da hast du recht", und wutsch hatte Wombi einen dicken Schneeball auf der Nase; und dann tobten sie weiter herum.

Währenddessen erkundeten die Eltern den Wald. „Das ist ein schöner dichter Wald", sagte der Vater. Die Mutter nickte und meinte: „Aber ich vermisse doch den Busch. Das Unterholz hier ist doch ganz anders." „Hm, mhm", nuschelte Vater Wombat. Als sie weiter durch den Wald wuselten, standen sie plötzlich vor zwei grossen

Hirschen und einem Rudel Rehen, die standen da wie Salzsäulen vor Schreck über den Anblick der Wombats. So etwas hatten sie noch nie gesehen. „Ob die gefährlich sind?" dachten sie. „Am besten wir laufen schnell weg."

In diesem Moment stellten sich die Wombats vor und erzählten, dass sie von Australien kämen und die weite Reise hierher gemacht hätten.

Nun waren Hirsche und Rehe vor Staunen ganz starr, aber dann stellten auch sie sich vor und luden die Familie Wombat ein, zu ihrem Futterplatz mitzukommen. Der Förster hätte ihn für den Winter eingerichtet, dort könnten sie zusammen essen, und dann sollten sie alles ausführlich erzählen, denn solche Geschichten aus dem fernen Australien seien doch höchst interessant.

Gemeinsam ging es durch den Wald, und jeder betrachtete den anderen immer noch voll Staunen. Auf einer

Lichtung war der Schnee etwas weggefegt und in vier überdachten Futterkrippen war Heu. Die Wombats sahen auch, wie das Wild an Steinen leckte, das waren Salzsteine, und Hirsche und Rehe mögen so etwas gern.

Vorsichtig gingen die Wombats an die Krippen und naschten am Heu; aber das schmeckte ihnen gar nicht. Auch die Salzsteine konnten sie nicht begeistern. Die Wombat-Kinder schüttelten sich sogar, so eklig waren sie für sie. Darum warteten die Wombats am Waldrand, bis ihre neuen Freunde sich sattgefressen hatten. Dann gingen sie gemeinsam in den Wald zurück und dann wurde erzählt und erzählt.

Die Wombats fanden das alles hochinteressant, und man verabredete sich für den nächsten Tag wieder. Zufrieden kehrten sie in ihre Höhle zurück, wo sie den Eingang erst vom Schnee befreien mussten.

Es folgten nun schöne Wintertage gemeinsam mit Hirschen und Rehen. Eines Tages, als sie wieder am Rande des Futterplatzes sassen, hörten sie ein Auto kommen. Aus ihrem Versteck beobachteten sie den Förster und seinen Gehilfen, wie sie Heu nachfüllten und auch Kastanien ausstreuten.

Nachdem die beiden Menschen wieder weggefahren waren, riefen die Rehe die Wombats und sagten: „Heute ist Heiliger Abend, deshalb hat man uns etwas Besonderes zum Fressen gebracht. Kommt und versucht die Kastanien einmal, und nachher gehen wir zum Forsthaus. Da könnt ihr einen wunderschönen Tannenbaum mit vielen Lichtern sehen." Vater Wombat wurde ganz aufgeregt. Sein Wunsch, ein Weihnachtsfest im Schnee zu erleben, sollte in Erfüllung gehen.

Die Kastanien schmeckten ihnen köstlich, und Wombi und Lombi assen und assen, bis ihre Eltern sagten:

„Jetzt ist aber Schluss, euch wird sonst schlecht! Hört sofort auf!"

Hirsche und Rehe freuten sich, dass sie ihren australischen Freunden nun doch etwas Gutes anbieten konnten.

Als es dämmerte, machten sich die Tiere auf zum Försterhaus. Im Schutz der Bäume blieben sie stehen und sahen zu, wie die Frau des Försters eine grosse Tanne mit Kerzen schmückte. Nachdem alle Kerzen brannten, ging die Frau Förster ins Haus zurück, und die Tiere kamen näher heran. Vorsichtig gingen die Wombats zwischen den Rehen, und allen wurde ganz warm ums Herz. Es war Heiliger Abend, und vor ihnen stand ein wunderschöner Weihnachtsbaum, auf den leise der Schnee fiel. Der Traum der Wombats hatte sich erfüllt.

Als die Kerzen heruntergebrannt waren, gingen die Tiere in den Wald zurück. Als dann in der Nacht alles schlief, lag Vater Wombat noch lange wach. „Das war ein schöner

HEILIGER ABEND", DACHTE ER. ABER PLÖTZLICH FIEL IHM SEIN ZUHAUSE EIN, UND ES WURDE IHM DEUTLICH, DASS ER GAR NICHT WUSSTE, WIE SIE WIEDER ZURÜCKKOMMEN SOLLTEN IN DIE HEIMAT; DENN VON EUROPA WERDEN JA KEINE WOLLBALLEN NACH AUSTRALIEN GESCHICKT. „ACH DU LIEBE ZEIT, WAS JETZT?" SEUFZTE ER. ERST GEGEN MORGEN SCHLIEF ER VOLLER SORGEN EIN.

Die nächsten Tage vergingen. Die Wombats trafen sich mit den Rehen, und es war eine schöne Freundschaft geworden. Wombi und Lombi waren vergnügt, ihnen gefiel das Leben. Jeden Tag entdeckten sie etwas Neues und für sie Interessantes. Die Eltern hingegen machten sich Sorgen wegen der Heimfahrt. Vater Wombats Gesicht hatte schon viele Falten vom Nachdenken, aber Mutter Wombat sagte immer: „Ich glaube fest daran, dass wir wieder nach Australien kommen." „Aber wie?" knurrte Vater Wombat.

Hirsche und Rehe wussten auch keine Lösung. „Bleibt doch für immer bei uns", schlugen sie vor. So sassen denn die Wombats immer ruhig hinter einem Busch an der Lichtung, wenn die Rehe an ihrer Futterstelle waren, denn sie wollten auf keinen Fall auffallen. Was sie aber nicht wussten, war, dass man sie schon seit Tagen entdeckt hatte, und dass sie der Förster jeden Tag beobachtete.

Als er sie das erste Mal sah – er war abends gekommen, um nach den Rehen zu sehen –, war er genau so starr und sprachlos wie die Rehe damals. Zuerst hielt er sie für Wildschweine. Ein paarmal setzte er sein Fernglas an und ab, schüttelte den Kopf, putzte seine Brille und sah wieder durch das Glas. Nein, Wildschweine waren das nicht. Er konnte erkennen, dass das fremde Tiere waren, besonders weil er Wombi und Lombi bei ihrem Herumtollen gut beobachten konnte. Er schaute in Tierbüchern nach und bat dann einen Professor für Zoologie aus der Stadt um Rat. Der kam auch gleich, und gemeinsam beobachteten sie abends das Kommen der Rehe und hintendran die Familie Wombat, die sich sofort hinter den Busch setzte. Nach einer Weile trabten dann Wombi und Lombi durch die Gegend. Der Professor atmete tief durch, dann sagte er voller Staunen: „Das sind eindeutig Wombats, Tiere, die nur in Australien leben. Wie kommen die hierher?"

Sie beschlossen, die Wombats einzufangen. Man wollte ihnen nicht weh tun oder sie gar verletzen, und deshalb spannten sie ein grosses Netz über den Busch, hinter dem die Wombats abends immer sassen. Gegen Nachmittag stiegen Förster und Forstgehilfe jeder auf einen Baum und warteten.

Als es dämmerte, hörten sie Äste knacken, und die Truppe näherte sich. Voran die Hirsche, dann die Rehe und als Schlusslicht Familie Wombat, die ruhig wie immer ihren Platz hinter dem Busch einnahm. Nun hiess es für den Förster schnell handeln. Er gab seinem Gehilfen ein Zeichen, und mit einem Platsch fiel das Netz auf die Wombats. Die waren im ersten Moment vor Schreck ganz reglos. Dann fingen Wombi und Lombi an zu schreien und zu quietschen, und auch Vater und

Mutter Wombat schrien. Dann drückten sie ihre Kinder an sich, und alle wurden ganz still vor Angst. Hirsche und Rehe waren völlig aufgelöst in grossen Sätzen davongestoben. Aufgeschreckt rannten sie tief in den Wald hinein.

Die Männer hoben ganz vorsichtig die Familie Wombat in ihrem Netz auf einen kleinen Lastwagen, der neben der Lichtung geparkt war, und dann ging es in schneller Fahrt in Richtung Forsthaus.

Die Wombats waren sehr traurig und hatten grosse Angst. Eingewikkelt wie ein grosses Paket lagen sie in dem Auto. Das war jetzt plötzlich eine ganz andere Reise geworden. Ach, wie hatten sie alle Heimweh nach ihrem schönen Australien.

Am Forsthaus wurde das Netz vorsichtig vom Wagen gehoben und in einen Schuppen getragen. Dort wurden die Wombats vom Netz befreit und in einen grossen Käfig gedrängt. Nun

SASSEN SIE TRAURIG UND MIT KLOPFENDEM HERZEN HINTER GITTERN. „WAS GESCHIEHT JETZT MIT UNS?" FRAGTEN WOMBI UND LOMBI. „WO SIND WIR? WO KOMMEN WIR HIN? WIR WOLLEN NACH HAUSE." SO GING DAS PAUSENLOS. DIE MUTTER VERSUCHTE, IHRE KINDER ZU BERUHIGEN. VATER WOMBAT WAR STUMM UND RATLOS.

EIN FORSTGEHILFE WARF IHNEN SCHMACKHAFTE BLÄTTER UND AUSGESUCHTE WURZELN ZU, ABER IM MOMENT HATTEN SIE KEINEN APPETIT. SIE HÖRTEN, WIE SICH DER PROFESSOR UND DER FÖRSTER unterhielten. „Das ist ja eine tolle Sache. Das sind ganz besondere Tiere, die gibt es nur in Australien. Wie sind die bloss hierher gekommen? Man muss sie vorsichtig behandeln. Die Leute werden staunen, wenn sie diese Tiere sehen."

So ganz verstanden die Wombats nicht, was die Männer sagten, aber sie bekamen mit, dass man sie bewunderte und ihnen nichts tun würde, und ihre Angst verschwand ein bisschen. Dann wurden sie allein gelassen. Nach all der Aufregung assen sie nur wenig von den guten Sachen, und dann schliefen sie eng aneinandergeschmiegt ein.

Am nächsten Morgen trugen zwei Männer den Käfig zu einem Auto mit der Aufschrift „Zoologischer Garten Frankfurt am Main", setzten ihn darauf und ab ging die Fahrt. „Was wird das nun wieder werden", fragten sich die Wombats. Die Fahrt dauerte eine ganze Weile, dann hörten die Wombats Laute von draussen, die sie an die

GROSSEN STÄDTE AUF IHRER REISE ERINNERTEN. DAS AUTO HIELT, UND DIE TÜR WURDE GEÖFFNET. ES WAR HELLER TAG, DIE SONNE SCHIEN, UND DIE WOMBATS BLINZELTEN NACH DRAUSSEN. SIE WAREN WIEDER TOTAL ERSCHROCKEN UND VOLLER ANGST, DENN VOR DEM AUTO STANDEN VIELE MENSCHEN, ÜBERALL SURRTEN FILMKAMERAS UND KLICKTEN FOTOAPPARATE. ZWEI WÄRTER VOM ZOOLOGISCHEN GARTEN IN FRANKFURT AM MAIN, DENN HIER WAREN UNSERE WOMBATS NUN, ZOGEN DEN KÄFIG MIT DEN WOMBATS AUS DEM AUTO UND TRUGEN IHN MÜHSAM DURCH DIE MENSCHENMENGE, DIE SICH UM DAS AUTO DRÄNGTE. JEDER WOLLTE DIE WOMBATS SEHEN, UND DIE BLITZLICHTER DER REPORTER ERSCHRECKTEN DIE WOMBATS BESONDERS.

DER KÄFIG WURDE IN EIN TIERHAUS GEBRACHT UND GEÖFFNET. DIE WOMBATS LIEFEN NUN IN DEN GROSSEN KÄFIG, HIER LAGEN FRISCHE BLÄTTER UND HERRLICHE WURZELN. DER ZOODIREKTOR WAR AUCH ANWESEND UND SPRACH EIN MACHTWORT:

„Bitte verlassen Sie jetzt alle das Tierhaus. Die Wombats brauchen absolute Ruhe, bis sie sich etwas eingewöhnt haben."

Schnell machten die Reporter noch ein paar Bilder für die Zeitungen, das Fernsehen filmte noch einmal unsere Wombats, dann trat Ruhe ein. „Warum sind wir denn so besonders wichtig und interessant geworden?" fragten Wombi und Lombi. Vorsichtig blickten sich die Wombats um. Sie waren in einem riesengrossen Käfig, Wurzeln und Blätter lagen darin, und alles war blitzsauber. Sie fühlten sich nun etwas sicherer, aber waren todtraurig. „Soll das jetzt für immer unsere Wohnung sein?" fragte Mutter Wombat. „Wir wollen wieder rumspringen", sagte Wombi. „Und wo ist unser schöner Busch?" fragte Lombi. „Vielleicht wären wir doch besser zu Hause geblieben", brummte Vater Wombat. „Wenigstens verhungern wir nicht, aber es wäre schon besser, wenn

WIR UNSERE WURZELN UND BLÄTTER WIEDER SELBER SUCHEN KÖNNTEN."

IM TIERHAUS DER WOMBATS VERLIEF DER TAG RUHIG. AB UND ZU KAMEN EIN PAAR MÄNNER UND FRAUEN HEREIN, BESAHEN SICH INTERESSIERT DIE WOMBATS, SPRACHEN MITEINANDER UND VERLIESSEN DAS TIERHAUS WIEDER.

AM NÄCHSTEN TAG KONNTE MAN IN ALLEN ZEITUNGEN BILDER VON DEN WOMBATS SEHEN, UND DAZU GAB ES LANGE ARTIKEL ÜBER WOMBATS IN AUSTRALIEN. AM SCHLUSS ABER STAND ÜBERALL DIE FRAGE: WIE WAREN DIESE WOMBATS NACH DEUTSCHLAND GEKOMMEN?

ERINNERT IHR EUCH AN DEN PFÖRTNER, DER AM EINGANG DER SPINNEREI IN SEINEM PFÖRTNERHÄUSCHEN GESESSEN HATTE UND BEIM ANBLICK DER WOMBATS GERUFEN HATTE: „HILFE, HILFE, DA LAUFEN VIER SCHWEINE IM PELZ DURCH DAS TOR; HALTET SIE, HALTET SIE!!"? DER LAS AUCH AN DIESEM MORGEN BEIM FRÜHSTÜCK DIE ZEITUNG. ALS ER DAS BILD SAH, RIEF ER GANZ VERBLÜFFT: „DAS SIND JA DIE VIER

Schweine im Pelz!" Gleich rief er bei der Redaktion an und erzählte dem Reporter seine Geschichte. Der eilte zur Spinnerei, ließ sich vom Pförtner noch einmal alles ausführlich erzählen und machte mit seiner Kamera Aufnahmen von der Pförtnerloge, dem großen Eingangstor und dem nahen Wald.

Am Tag darauf stand auch dieser Artikel mit Bildern in der Zeitung, und schnell wurde die ganze Geschichte im Lande bekannt. Nun wusste man, dass die Wombats in der Schafwolle gesteckt hatten. Wie sie da hineingekommen waren, blieb jedoch allen ein Rätsel.

In den Frankfurter Zoo aber strömten die Menschen. Alle wollten die Wombats sehen. Zeitweise musste das Tierhaus sogar wegen Überfüllung geschlossen werden. Wombi und Lombi waren ganz stolz, dass sie so berühmt waren, aber ihre Eltern wurden immer trauriger. Sollte dieses Leben so weitergehen, immer hinter Gittern, sollten sie nie mehr im Wald umherstreifen und sich froh und frei fühlen? Zu essen bekamen sie ja nur das Beste, sogar Kastanien schafften die Wärter heran und immer frische Blätter und Wurzeln. Im Käfig war jetzt auch ganz viel Erde, damit sich die Wombats eine Höhle bauen konnten. Aber sie sehnten sich doch zurück in die Heimat, nach Australien.

In den Zeitungen wurde immer noch von den Wombats berichtet, und man stellte tolle Vermutungen an, und ganze Geschichten wurden über sie erzählt. Und diese Geschichten kamen auch dem Herrn Botschafter von Australien, der in Bonn lebt, zu Ohren. Er liess sich alle diese Zeitungen besorgen und studierte ganz genau jeden Artikel. Dann beschloss er, in dieser Sache etwas zu unternehmen, denn es gibt in Australien ein Gesetz, das die Ausfuhr von australischen Tieren streng verbietet. Das ist ein gutes Gesetz, denn es schützt die Tiere in Australien. Der Herr Botschafter liess sich nach Frankfurt am Main fahren und sprach mit dem Zoodirektor. Dann gingen sie zum Wombatkäfig. Der australische Botschafter erkannte die Wombats sofort, schliesslich hatte er Wombats schon in seiner Heimat Australien gesehen.

Lange blieb er vor dem Käfig stehen und betrachtete unsere Wombat-Familie, dann sagte er: „Meine Herren, es tut mir leid, diese Tiere müssen zurück nach Australien. Nach unseren Gesetzen dürfen diese Wombats nicht hier sein. Ich werde veranlassen, dass sie nach Australien zurückgeflogen werden."

Die Leute, die das hörten, bedauerten das sehr, aber man verstand den Herrn Botschafter. Auch die Wombats hatten das mitbekommen, und sie hätten am liebsten Freudentänze aufgeführt. Mutter Wombat aber bremste sie und meinte: „Seid lieber erst mal still und wartet ab. Freuen wir uns erst einmal ein bisschen, sonst denken die Menschen noch, wir wären vielleicht krank, wenn wir so herumtollen."

Am nächsten Tag wurden bereits die ersten Vorbereitungen für die Heimreise der Wombats getroffen. Qantas, die Fluglinie Australiens, wurde über die Wombat-Passagiere verständigt. In drei Tagen würde die weite Reise nach Melbourne losgehen. Man baute eine bequeme grosse Kiste. Wurzeln, Blätter und ihre Lieblingsspeise wurden hineingelegt. Grosse Löcher in der Kiste sorgten für Luft und Gelegenheit zum Hinausschauen.

Familie Wombat hatte jetzt Reisefieber und war voller Freude auf zu Hause. Wombi und Lombi fragten immer wieder: „Wie ist das Fliegen? Ist es so ähnlich wie mit dem Schiff? Geht es schneller?" Die Eltern konnten die Fragen ihrer munteren und aufgereg-

TEN KINDER NICHT BEANTWORTEN, DENN FÜR SIE WAR DAS JA AUCH ALLES GANZ NEU.

VIELE LEUTE KAMEN NOCH EINMAL IN DEN ZOO, UM DIE WOMBATS ZU SEHEN UND IHNEN AUF WIEDERSEHEN ZU SAGEN. UND DANN WAR ES SOWEIT. DIE WÄRTER SCHOBEN DIE KISTE IN DEN WOMBAT-KÄFIG UND DIE WOMBATS STIEGEN HINEIN. DANN WURDEN SIE ZU EINEM AUTO GETRAGEN, UND AB GING ES ZUM RHEIN-MAIN-FLUGHAFEN IN FRANKFURT AM MAIN.

DIE QANTAS-MASCHINE MIT DEM KÄNGURUH-BILD AM HECK WARTETE SCHON AUF IHRE BESONDEREN PASSAGIERE. EIN TEIL DES FLUGZEUGS WAR MIT EINEM VORHANG ABGETEILT, DA HINEIN BRACHTE MAN DIE WOMBATS IN IHRER KISTE.

DAS FLUGZEUG ROLLTE ZUR STARTBAHN, BEKAM VOM TOWER DIE STARTERLAUBNIS, UND LOS GING ES. DIE MASCHINE WURDE IMMER SCHNELLER UND SCHNELLER, UND DANN STIEG SIE IN DIE LUFT, HÖHER UND HÖHER UND VERSCHWAND IN DEN WOLKEN.

Die Wombats waren zuerst ganz still; denn das Starten eines Flugzeugs ist zuerst ja etwas laut. Als es seine Flughöhe erreicht hatte und ruhig vor sich hin brummte, kam wieder Leben in die Wombats. „Hui, nun fliegen wir heim", sagte Lombi. Wombi fragte: „Sind wir bald da? Ich freue mich ja so auf zu Hause." „Zwanzig Stunden wird es wohl noch dauern, bis wir in Melbourne sind", sagte der Vater. „Ob wohl unsere Höhle noch da ist?" fragte die Mutter. Die Stewardessen und Stewards und auch der Flugkapitän schauten des öfteren nach ihren ungewöhnlichen Passagieren. Auch sie freuten sich, dass die Tiere wieder in ihre Heimat kamen.

In Bangkok landete die Qantas-Maschine, um neuen Treibstoff zu tanken für den Weiterflug. Die Wombats fühlten sich wohl, ihnen machte die Reise durch die Luft gar nichts aus. Schliesslich hatten sie ja schon eine weite und recht abenteuerliche Reise

HINTER SICH. EINE GANZE ZEIT DES FLUGES SCHLIEFEN SIE SOGAR.

ALS DER FLUGKAPITÄN DIE LANDUNG IN MELBOURNE ANKÜNDIGTE, RANNTEN SIE SO AUFGEREGT IN DER KISTE HIN UND HER, SO DASS DIE BESATZUNG DES FLUGZEUGS SIE BERUHIGEN MUSSTE. ENDLICH, ENDLICH WAR ES SO WEIT: DAS FLUGZEUG LANDETE IN MELBOURNE, AUSTRALIEN! DIE WOMBATS WAREN WIEDER IN IHRER HEIMAT.

AUCH IN MELBOURNE STANDEN DIE REPORTER DER ZEITUNGEN, UM BILDER VON IHNEN ZU MACHEN. DIE AUSTRALIER WOLLTEN JA WISSEN, WIE DIE REISE DIESER VIER berühmten Wombats zu Ende ging. Im Flughafengebäude standen viele, viele Leute. Die klatschten in die Hände, als die Kiste mit Wombi, Lombi und ihren Eltern vorbeigetragen wurde, und alle freuten sich, dass die vier wieder gut gelandet waren.

Die Kiste wurde auf einen Lastwagen geschoben, und ein Fachmann für australische Tiere begleitete die Wombats. Es ging durch Melbourne hindurch auf den Highway. Das kannten unsere Wombats ja schon von früher. Ein paar Kilometer vom Stadtrand entfernt stoppte der Laster.

„Was kommt denn jetzt?" fragten sich Vater und Mutter Wombat.

Was dann kam, war etwas sehr Schönes, nämlich die Freiheit. Die Kiste wurde vom Lastwagen gehoben und eine Seite aufgemacht. So schnell sie konnten, und Wombats sind ja sehr flink, rannten Wombi, Lombi und ihre Eltern in den nahen Busch.

Tief drinnen machten sie halt, schnupperten die gewohnte Heimatluft, und waren alle sehr glücklich. Der Vater sagte: „Wir haben noch einen sehr langen Weg vor uns, bis wir in dem Naturschutzgebiet sind, in dem unsere Höhle ist. Lasst uns loslaufen."

Damit hatte Vater Wombat recht; bis zur Höhle waren es ja noch fast 200 Kilometer, und jetzt gab es kein Auto mehr, das sie mitnahm, kein Schiff und kein Flugzeug.

Alles musste mit den kurzen Beinchen gelaufen werden. Die Wombat-Eltern hatten ihre liebe Mühe mit den Kindern, die immer quengeliger und störrischer wurden, und oft schimpften sie mit ihnen oder sprachen ihnen Mut zu und trösteten sie.

Aber jeder lange Weg hat einmal ein Ende. Als sie in der Nähe ihrer Höhle waren, sie waren da schon vier Tage unterwegs, wurden sie immer schneller. Alles kam ihnen nun bekannt vor, es roch so gut nach zu Hause, und dann standen sie vor ihrer Höhle. Sie war noch so verschlossen, wie sie sie verlassen hatten. Mutter Wombat öffnete sie, alles drängte hinein, und jetzt waren sie wieder ganz daheim. Die Nachbarn merkten bald, dass die Wombats wieder da waren und kamen, um sie zu begrüssen. Alles freute sich, redete durcheinander und lachte und weinte vor Freude. Man beschloss, abends ein grosses Wiedersehensfest zu feiern.

Es wurde ein so tolles Fest, dass man noch heute im Busch davon spricht. Unsere Wombats mussten erzählen, erzählen und immer wieder erzählen. Die anderen Wombats fragten ihnen Löcher in den Bauch und konnten gar nicht genug von der tollen Reise nach Europa und zurück hören. Wombi und Lombi erzählten ihren Freunden von den aufregenden Erlebnissen, und die anderen Wombatkinder hätten am liebsten auch gleich eine solche Reise gemacht.

Dann wurden sie doch allmählich müde und alle gingen heim in ihre Höhlen. Auch unsere Wombats legten sich schlafen in ihrem gemütlichen Heim und dachten vor dem Einschlafen, dass es zu Hause doch am schönsten sei. Und vor der Wombathöhle fegte plötzlich ein kühler Wind, und die Wombat-Mutter dachte: Jetzt kommt der Winter in Australien, denn wir haben ja Juni.